나를 비추는
달빛에 운율을 더하다

나를 비추는 달빛에 운율을 더하다

2021년 2월 12일 초판 1쇄 발행
2021년 2월 12일 초판 1쇄 인쇄

지은이 　|박지윤, 이화아, 권기연, 황주희, 이서연

인쇄 　　|아레스트 (s-lin@hanmail.net)
표지 　　|studio GRIME (ceo@studiogrime.com)

펴낸이 　|이장우
펴낸곳 　|꿈공장 플러스
출판등록 |제 406-2017-000160호
주소 　　|서울시 성북구 보국문로 16가길 43-20 꿈공장1층
전화 　　|010-4679-2734
팩스 　　|031-624-4527
이메일 　|ceo@dreambooks.kr
홈페이지 |www.dreambooks.kr
인스타그램 |@dreambooks.ceo

꿈공장⁺ 출판사는 모든 작가님들의 꿈을 응원합니다.
꿈공장⁺ 출판사는 꿈을 포기하지 않는 당신 곁에 늘 함께하겠습니다.

ISBN 　|979-11-89129-83-5

정 가 |13,000원

나를 비추는
달빛에 운율을 더하다

박지윤

아늑한 꿈을 품은 사람
글쓰기, 시, 여행, 음악, 꽃, 오래된 것들을 길들여요

세상의 작은 아름다움을 발견하고
애정 어린 이름을 붙이는 것을 좋아해요

찰나의 행복과 내면에 쌓인 기억들로 짓는 글들이
지금과 앞으로를 버티게 하는 힘이 된다는 것을
여러분의 마음에 전해 주고 싶어요

조금씩, 오래 써 보려 해요

email   gloryoonp@naver.com
instagram   @frombookboni

< 친애하는 이름에게 >

이화아

글의 시작보다 중요한 것은 끝이었습니다.
한 발을 내딛는 순간부터
마지막 발을 떼는 순간까지

시의 길은 신나기도 하고 아프기도 했습니다.
시의 길에서 봄, 여름, 가을, 겨울을 만났고,
저는 그곳에서 길고양이로 살았습니다.

길고양이로 산다는 것은
온통 시로 물든 거리를 누비는 것입니다.
시를 오르며 내리면 걷는 길고양이는
오늘도 사랑을 찾아 거리를 누빕니다.

우연히 당신과 마주친다면,
눈인사 건네주세요.

instagram   @ihwaa5

< 이런, 걸음마다 낙엽이 >

권기연

나는 나를 위해 시를 쓴다
세상 어디에나 있는 나에게

때때로
숨어버리고 싶었던 나에게
마음 잃어 막막했던 나에게
너 아니었음 안될 나에게

어디에나 있는 모든 이에게
이야기를 들려주고 싶습니다

그 마음을 나눠
내가 나일 수 있다는 걸
나 또한 너가 될 수 있다는
이야기를 함께 나누며...

email   darakcalli0@naver.com
instagram   @darakcalli

< 살아있는 것들에 그리움을 얹다 >

황주희

나의 마음을 터놓을 곳이 없어
글에 마음을 담아내고 있습니다.
글을 쓰는 그 순간만큼은
오롯이 나에게 집중하며
그 시간을 즐기고 있습니다.

나의 마음을 담아낸 후에
다가오는 공감과 위로는 그 어떤 단위로도
환산할 수 없는 가치를 지니고 있었습니다.
제가 받았던 공감과 위로보다
한 움큼 더 공감과 위로가 되어주겠습니다.

저의 글이 모두를 포근하게 감싸주기를.

email   juh288@naver.com
blog   blog.naver.com/juh288
instagram   @w_nw66

< 웃는 모습이 예쁜 그대에게 >

이서연

우울과 슬픔으로 젖어 있던 어느 날
글자 하나하나가 빛을 내며
깜깜했던 마음속을 환히 밝히었습니다

저의 지시등이 되어주었던 글을
이제는 여러분을 밝혀주기 위해 써봅니다

저의 글을 읽기 시작한 순간부터 마치는 순간까지
지친 일상과 바쁨으로 떠나지 못했던
자유롭고 다채로운 내면의 여행을 다녀오시길
작게나마 소망합니다

email   seoy5555@naver.com
instagram   @wes_tkite

< 우울 한 스푼 나눠보실래요? >

박지윤

친애하는 이름에게

늘 우리 옆에 있어 주는 마음들과

들키고 싶지 않으면서도
내보이지 않고는 못 배길 것 같은 꿈과 사랑이

붙잡아 두고 싶은 시간의 여러 페이지 사이에서

기댈 어깨를 묵묵히 내어 주는
시가 되었습니다

_ 시인의 말

Dear

언젠가 한 친구가 말했다
가끔 알지 못하는 사람에게
모든 것을 다 털어놓고 싶을 때가 있어

아주 모르는 존재

접어둔 울음이나
요란히 지어낸 웃음도
모른 체 할 수 있는

아주 낯선 존재

답을 주지 않아도
이해를 하지 않아도
괜찮은

친애하는
            이름에게

마음 1

마음을 만지작거리는 날이 있었다

눈치 없는 꿈인 걸까
괜찮은 욕심일까

천장에 비칠비칠 굴러가는
그림자만 바라보는 날이 있었다

마음 2

누가 마음에 밑줄을 그었지?

생각이 많아질수록
잊지 말아야 할 것들은
자꾸 숨어 버리고

무엇을 기록해야 할지
알 수 없었다

마음 3

마음이 간지럽다고
말로는 부끄러워 못하겠어

유랑하는 활자들

조용히 붙들어 볼까

약속되지 않은 언어로
고백하는 상상을 한다

길들이고 싶은

길들이고 싶은 것이 생겨난다
기분이 좋아지기도 한다

내가 길들이고 싶은 것은
글과 마음과 꿈과
그대들 그리고 나

황금빛 밀밭을 보면 그리워지고
지나는 바람 소리마저도 좋아질 거라는
여우가
길들이고 길든 것처럼

나에겐 이미 소중해져 버린
그 어떤 많은 의미와 함께이고 싶다

금빛 머리의 어린 왕자가 되어 보기도 하고
황금빛이 감도는 밀밭을 꿈꿔 보기도 한다

오늘 할 일

눈길을 주는 것
생각해 보는 것
걸음을 멈추는 것
있는 그대로 바라보는 것
시간을 기꺼이 내어 주는 것

발길 닿은 길가에
자그마한 꽃 하나 두울
미소 짓는 마음처럼
그 마음으로 찍는 사진처럼

순간을 사랑하는 일
영원을 꿈꾸는 일

세잎클로버

책상 한편에 누워있는
책 하나를 집어
아무 페이지나 펼쳤더니

어느 날 조심스레 꽂아 둔
세잎클로버가
수줍은 모습으로 나타났다

우연한 발견
그래서 행복인가 봐

별것 없는 하루 어딘가
수줍게 숨어있는 세잎클로버
네게도 있었으면

나의 이 작은 마음
멀리서 기웃거리다
네게 살며시 닿았으면

튤립

한 사람이
튤립 한 아름을 들고
걸어가고 있다

그 걸음은
싱그러운 튤립
보다 더 싱싱하다

오늘 하루
저이의 마음은
둥그런 튤립의 모양일 것이다

비밀스러운 속삭임을 흠뻑 머금고

튤립은
마음의 온기로
물들어 가고 있다

그렇게
닮아 가고 있다

그런 요즘 사람

좋아하는 시 한 편쯤
마음에 남기고
언제든 소리 내어 읊을 줄 아는 사람

당신을 완전히 이해해요
라는 말 대신
그래요, 그럴 수 있어요
라는 말을 건네는 사람

삐딱하게 보자면 한없이 그럴 테지만
미움으로 비꼬지 않고
있는 그대로 바라보는 사람

소홀함에 서운해하지 않고
생각이 났을 때
먼저 안녕을 물을 줄 아는 사람

마음의 말을 종이에 써 내려가는 일을
촌스럽거나 부끄럽게 여기지 않는 사람

마주한 눈빛과 몇 마디 말로도
참 아늑한 사람이구나 싶은

그런 요즘 사람

요즘 사람들은 말이야
이러쿵저러쿵할 때

소리 없이 내리는 눈처럼
마음속에 그려지는

그런 요즘 사람

곱게 땋은 거짓말

네 마음을 다 안다는 말
네가 걱정돼서 그렇다는 말
다 널 생각해서 그런 거라는 말
시간이 지나면 해결될 거라는 말
다들 그렇게 산다는 말
원래 그런 거라는 말
어쩔 수 없다는 말
아무 문제없다는 말
다신 안 그럴 거라는 말
보고 싶다는 말
한번 보자는 말
많이 안 기다렸다는 말
내가 알아서 잘 할 수 있다는 말
잘 지내고 있다는 말
안 힘들다는 말
안 울었다는 말
괜찮다는 말

곱게 땋은 거짓말
속아주고 속이는
짓궂은 나날

니트

성긴 만남 사이로

계절의 공기가 오간다

올이 풀린 우리는

필요한 만큼만 사랑하지

생각할 수 있는 만큼만

볼 수 있는 만큼만

내키는 만큼만

사랑하지

더 촘촘할 수 있다면
더 따뜻할 수 있다면
아마 우리의 사랑은

오후의 호숫가

홍조 띤 두 볼에 머물던 석양이
아쉬운 듯 머뭇거릴 때
우리는 호숫가에 앉아 있었다
사람들은 모두 가만히
한 방향을 바라보고
조용한 호수엔
애타는 노을만이 붉게 실렸다
강렬한 미련을 너그러이 받아 주는
호수의 심성은 얼마나 고운 걸까
탁, 탁, 탁, 탁
아마추어 밴드의 드럼 스틱 소리가
익어 가는 풍경을 비집고 들어왔다
소년이 어른이 되었을 때
살아갈 장면을 노래하는 목소리가
호수를 울렸다
글썽이던 노을은 벌겋게 번져 가고
이 순간과 같을 수 없을 내일을 생각했다
우리의 시간은 이제
노래 가사가 되거나
호수가 되거나 노을이 되겠지
벌써부터 그리워져 버렸다고 말할 순 없었다

카페에서

우리는 처음 만났을 때를 떠올린다

우리가 모서리를 접어놓은
아주 익숙한 그 페이지 말야
가끔가다 생각이 나면 펼쳐보곤 해

우리는 이 얘길 저번에도 했었지

마셔본 적 있는 커피가
오늘은 또 다른 맛으로 느껴지듯
십 년도 더 된 사실들이 꼭
이제 막 꾼 단꿈 같아

도란도란 따뜻한 향이 번지는 카페에서
마주 앉은 우리는
아무 말이 없어도 어색하지 않은 사이

퍽퍽한 겉옷을 벗고 폴짝폴짝
예전의 모습을 하고 사르르르

우리는 잠시 시간을 모르는 사람이 된다

우리가 몽당연필만큼 작았을 때

우리가 몽당연필만큼 작았을 때
손에 쥐어지지 않는 귀여움으로
사랑을 쓰고, 사랑을 쓰게 했지
꽉 쥐면 볼 수 없고
놔두면 잃어버릴까
애쓰는 마음이 우리를 살게 했지

우리가 몽당연필만큼 작았을 때
숨겨지지 않는 나약함으로
마음을 쓰고, 마음을 쓰게 했지
혼자서 상처 입고
어디로 사라져 버릴까
애타는 마음이 우리를 있게 했지

여기
이대로만
있어주렴

더 이상
작아지지 말아

스물일곱의 밤

괜찮다고 말하고
괜찮다는 말을 듣고
괜찮은 척 하며
괜찮아지려 하네
뭐가 괜찮은지
진짜 괜찮은지 묻는
스물일곱의 밤

변한 적 없는 저 달과
어디 가지 않은 꿈들만이
달래주는 밤이야

나의 작은 월세계

밤공기에 깊은 숨 내쉬어도
쉬이 가벼워지지 않는 머리로
바람을 견디던 눈꺼풀을 들어
오롯이 쳐다봤을 때

굳이 여기를 보지 않아도 돼
무거워진 고개는 떨궈도 괜찮아
그래도 난 너와 함께 있을 거야

목소리를 들려준 억겁의 세월
가로등 불빛의 서글픈 산란과
나란히 내려와 비추네
나 서 있는 이곳

눈이 너무 부시다
핑계 대며 고개 숙였을 때

위태로이 흔들리는 길 위로
나와 닮은 그림자
달에게 안겨 있네
하르르 여울져가네

심야 안부

캄캄한 하늘의 위성은 선명한데
말 없는 글은 너무나 불가사의해
멀리 있어도 닿을 수 있지만
부재중인 말은 참 쓸쓸하지

추적추적 그리움이 내릴 때면
글에게 인사만 남기자
궁금한 마음은 요란히 쏟아지다
어디론가 어디론가 흘러가겠지

짙은 어둠이 소리를 시원하게 마시고
적요한 여백은 밤이슬로 목을 축인다

닿을 수 없는 말을
닿을 수 있는 글에 띄우고
닿을 수 있는 글을
젖지 않은 여백에 앉혀서

자꾸만 전하고 싶은 맘
머금은 게 많은 이 깊은 밤
덩그러니 놓인 글자, 조용한 숨소리만

가능성

가장자리를 따라 걷는다

여기엔 끝이 없다
아니
끝을 만난 적 없다

모양이 둥근지 네모난지
알 수 없다
아니
알 겨를이 없다

시선 닿는 쪽
'안'이라 믿는 부분
거기엔 무언가가 많다
아니
많아 보인다

들어가지 않는다
아니
'들어가는' 것이 맞는지 모른다

가장자리에 있어도 '거기'에
포함이 되는가 안 되는가
아니
포함을 '하는' 것인가
확신이 없다
아니
믿을 수 없다

'그게 전부인 것처럼 굴지 마'

가장자리를 둘러싼 어디선가 들려온다
그렇다면
가장자리는 가장자리가 맞는가

아무도 대답이 없고 답이 없다

이 세상엔
없어서 있는 것이 있지
없어서 생겨나는 것

여기서 가능성을 만난다

나무와 생각

나무들이 울고 있었다

가까워질수록 더
쏴아 쏴아 어지럽게
눈물들을 떨구어 냈다

울고 있는 것들의 옆을 지나치는 순간

내가 태풍일지도 모른다는 생각

스치고
휩쓸고
지나가며

나를 위해 울어 줬을 리 없지만
나무가
나보다 더 슬퍼 보였다는 생각

그런 생각들을
나무들이 보이지 않을 때쯤

까먹어 버렸다는 것

그것이 그만
그치는 비에
또 생각나 버리고

다시 만난 나무들
태연스러운 얼굴에

내가 꿈꾸는 것일지도 모른다는 생각

나무와
생각

싱겁고 묘한
미완의 관계

몽마르트르 언덕

가난은 비탈진 언덕에 정착한다
달에 조금 더 가까이 사는 것이
곧 사는 이유가 되기도 한다
오르고 싶은 욕망과
오르기 싫은 발걸음이 모인
그 기울어진 터로부터
꿈은 예술이 되어 왔다

몽마르트르 언덕에 올라간다
파리의 가장 높은 곳에서
작아진 세상을 내려다본다
다시
경사진 길 아래로 내려갈 때
고개 들어 바라본 눈높이엔
몽마르트르 너머 저 세계의
작열하는 황홀이 있다

저무는 풍경으로도 꿈을 그리는
찬란함을 본다
가진 게 없어도 빈곤하지 않은 이유
파리, 오랜 영혼들의 예술을 마주한다

고흐와 밤하늘

별빛에 기억이 묻어 있다

빙그르르
온 세상이 요란하게 들어 있는
머릿속을
감싼 밤하늘에
꽃들이 반짝이네

파르르르
떨리는 빛
지상에도 별이 피었다

어두워야만 보이는 것들이 있지

만질 수 없는 기억과
퍼져 가는 밤하늘
별빛의 파동에

울 뻔했다

슬픔을 미안해하지 말아요

사랑하는 사람의 슬픈 눈을 바라보며
쏟지 못하는 슬픔까지 알아 버렸을 때

아무것도 해 줄 수 없어서
내가 먼저 울어 버렸을 때

울어 버려서 아무 말도 해 줄 수 없었을 때

꼬옥 껴안는 것이
당신의 깊은 슬픔까지 안을 수는 없겠지만

오늘도 나는
말없이
꼬옥 안아줄래요

가사 없는 음악

마음이 안 좋을 땐
가사 없는 음악을 들어요

삼켜 버린 이야기들
선율에 실어 흘려보내요

음악도 흐르고
시간도 흐르고

흐른다는 건
여기로부터
멀어진다는 것

눈물이 흘러도
괜찮아요

그저 나로부터 조금 더 멀리
조금 더 멀리
보내 버리는 거예요

반쪽의 사랑

녹보수 화분 하나에 두 개의 계절

바람도 없이 낙하한 잎사귀를 주워 본다
사늘한 봄이 쏜 눈총
시든 여름이 입힌 멍
내려앉은 가을은
말이 없다

반쪽짜리 너의 오월을 기른 창이
푸르게 흘러내린다

자꾸만 창밖으로 기울며
반쪽만 울창해진 너는
햇빛에 끼어
휘이 도망가고 싶었을까

밤보다 짙은 정적을 매달던
지독한 그늘
부끄러움으로 만져 보는
계절이 다른 삶

가는 바람에도 간절히 흔들리는
너의 초록빛
언제라도 꽃을 피울 것만 같은데

햇살이 쏟아진 바닥에
물 대신 뿌려 온
눈물을 널어 볼까
바짝바짝 말라 바스락거릴 때까지
우리
태양의 계절을 살아가자

기울어 버린 나의 반쪽들
사랑으로 돌봐야지

녹보수 화분을 반 바퀴 돌려놓는다

아이보리 향

아이보리 비누
껍데기를 벗겨내며
오늘의 꿈을 생각해

손끝에 배는 향기와
꿈속의 기분

손바닥과 손바닥
떨어지는 물을 데려다
뽀얀 비누를 씻기자

손금들 사이사이로

꿈결이 퍼졌다

희희

복숭앗빛 하늘을
이불 삼아 덮으면
살포시 안기는 구름
희희 웃는 목소리
내가 너의
푹신한 하루가 되어줄게

밤 벚꽃

좋아하는 얼굴에 보조개가 폭 들어가던 순간
뭉쳐 있던 나의 오랜 소란은
고요한 밤하늘이 되었습니다

속눈썹을 스쳐
발그레한 볼을 간지럽히다
잡으려는 손가락 사이로 숨어 버리고
살며시 발등에 내려와 닿은
보드라운 당신의 보조개

이대로 지나가지 말아요,
나를 붙잡습니다

꽃잎 같은 손톱으로
간지러운 마음을 긁어요
봄달이 달콤하게 쏟아지면
내 작은 엄지손톱을 대신 걸어 둘게요

고흐가 그리고 간 그림일까요
소란이 흩어진 밤하늘 아래
좋아하는 얼굴이 흐드러지게 피어 있어요

흩날리는 보조개가
마음을 흔들어요

봄날은 일렁이다 일렁이다 가겠지만
이 밤은 수줍게
나를 물들이고 붙잡아 둘 거예요

이대로 보낼 수 없어요,
나는 걸음을 뗄 수 없습니다

런던 허밍

일요일이에요
하늘거리는 커튼 사이로
서성이는 한 줌 햇살
적당히 머릴 빗고
입고 싶은 옷을 입어요
엊그제 산
나의 앙증맞은 까만 가방
담고 싶은 것을 담아요
11시의 하품
레몬맛 사탕
촉촉한 립밤과
아직은 어색한 이가 건넨 인사
"Have a lovely day!"

걷고 싶은 대로 걸어요
지도는 필요 없어요
어디를 걷든
여기는 런던이니까
마켓에 들러 햄치즈 샌드위치를 사고
세인트폴 대성당 아래에
아무렇게나 앉아요

정오의 해는 무심하고 다정해서
따스한 자리를 펴 주고도 말이 없죠
사람들은 그 위에서
걷고 웃고 사랑을 말하고 있어요

여행자의 눈을 닮은
초롱초롱한 볕
나뭇잎에 깃들어 마음을 간질이고
한껏 들뜬 아이들의 목소리
머릿결을 매만지는 바람을 타고
누군가의 캔버스에 그려지고 있죠

이 풍경을 채집해요

오늘만큼은
보고 싶은 것만 보기로 해요

낯선 곳
이토록 달콤하고
긴 허밍으로

즐거운 이방인

네덜란드 하늘은 파아아랗지
누가 물감을 발라 놓았을까
둥실둥실 구름의 솜씨일까
걸음걸음 호기심이 차오른다

벚나무에 핀 딸기맛 팝콘들
달큰한 향기에 춤을 추는 코
새빨간 튤립은 태양을 노래하고
빵 굽는 할머니가 인사를 건네네
Halo 할로! Doei 두이!

운하 따라 걷는 길
보트 위 가족들 자전거 탄 꼬마들
움직이는 동화 속 즐거운 표정들
모르는 언어와 신기한 풍경들
초면의 사람들 그 서투른 마음들
서로가 달라서 즐거운 하모니

갑자기 내리는 토동토동 빗방울
변덕스런 하늘이 분위기를 뿌려 주네
오늘은 유쾌하게 맞아줄 수 있는걸!

여행자의 아이러니

힘들 때 등을 기댈 배낭 하나 꾸려서
집 밖으로 떠나는 기쁨을 만끽한다
세상에서 제일 편안한 곳을 나서며
출처를 알 수 없는 안락함을 느끼는 건

살아온 내가 아닌 살아갈 내가 되는 기분

희붐하게 밝아 오는 새벽 경치에 슬쩍 끼어
어제와 다른 공기에 취한 오늘의 바람이 된다
하늘 햇살 나무 꽃들의 낯익은 얼굴도
갓 태어난 아기처럼 신기하고 신비하다

많은 것을 갖고 있지 않아도 충만한 하루

호기심과 길을 거닐며 달라지는 나를 만나고
떼어 두고 온 것들을 멀리서 주워 보기도 하지
피곤을 벗기 위해 오른 여행이 피로를 선사해도
일상을 잘 살도록 부스터가 되어 주니 비로소

여행의 끝에서 다시 여행이 시작되네

기분의 기분

때론 어떤 기분이 들 수도 있지만
어떤 기분은 만들 수도 있을 것이다

기분이 든다는 것은
어떤 기분과 닿았다는 것
그런 기분을 만지기까지 하면
어떤 기분이 들어서 또 이런 기분이 들거나
저런 기분이 드는 기분 연속극의 주연이 된다

자연히 생겨난 못생긴 기분은
자연히 사라지도록 둬야 하는데
그런 기분은 들고 다니는 동안
또 하나의 못생긴 기분을 잉태하기 때문

기분의 기분

최초의 기분은 어떻게 생겨났을까
파생된 기분을 거꾸로 타고 올라가 본다

아무래도 기분을 만들 수 있을 것 같다

애정 흔적

보얗게 김이 서린 창문에
하트를 그리고 싶은 건
짙푸른 바닷물 드나든 자리에
손가락글을 쓰고 싶은 건
아무도 밟지 않아 깨끗한 눈밭에
첫 발자국을 남기고 싶은 건
작은 상처에도 아픈 연한 살갗에
영원의 무늬를 새기고 싶은 건

그 순간
내가 지닌
애정의 전부

무언갈 사랑하는 마음은
흔적으로 머물기도 한다

그림 같은

그림 같은 풍경
그림 같은 사진
그림 같은 여행

알고 보면 그림 같은
우리의 오늘

멀리 있을 때
더 애틋한 건
다 똑같아

그러니
슬퍼하지 않기로
웃으며 바라보기로

From

머물고 싶은 기억
비밀이고 싶은 말
그리는 얼굴들
스친 마음들
무한한 상상
영글어 가는 꿈
그저 사랑하는 지금

슬기롭게
보살피고 싶은
소중한 나의 세계

이화아

이런, 걸음마다 낙엽이

하얀 노트 위에 자음 하나, 모음 하나, 쉼표와 점 하나.
채워갈 때마다 감정들이 차오르기 시작했습니다.

나부끼는 얇은 심장에 깊게 박힌 글씨는
시라는 운명으로 당신의 손에 붙들려 읽히는
영원한 순간을 기대하고 있을 지도 모릅니다.

시를 읽는 당신도, 행복한 순간을 맞이하면 좋겠습니다.

_ 시인의 말

꽃에 날개가 생겼다

밤은 꿈꾸던 꽃봉오리 것이었다
지나가는 바람을 세워 놓고
설렘으로 흐트러지게 옷 선을 매 잡으면
아름다운 날들이 한발 짚고 턴할 준비를 한다

어둠 하나,
어둠 둘,
어둠 셋,

나비가 헤매던 아름다운 날들이
이른 아침에 깨어났다
그대가 뿌린 향수는
사랑한다고 자부한 시간 속
구애하는 나비로 태어난다

코끝에서 비벼대던 밤이
가슴 속 깊이 아침으로 태어나기까지
손목으로 흠씬 두들기니 꽃에 날개가 생겼다.

새벽을 걷는 젊은이

짙은 푸른 내음 겹겹이 쌓은 하늘
밤뒤로 열리는 축복의 시간

이슬 위 고인 달의 구슬
낮은 소리로 풍경을 속삭인다

손아귀 가득 새벽 들이마시니
젊은 날의 발걸음이 무성해진다

새벽을 걷는 젊은이들
봄날을 달리는 도시의 벚꽃 같다.

답을 정하는 이유

망설임 바라보며 까맣게 타버린 밤
지친 자존심을 버리곤 했다
서운했던 지난날 투정들이
부질없던 역사의 둘레를 걷는다

시간의 그늘,
짙은 명암 언저리마다
지혜의 은밀함이 숨어있다
답은 여정의 뒷모습을 정리하는데 익숙하다

봄날의 아침, 다신 찾지 않을 겨울처럼.

봄이 왔는가

달콤하게 바람 타고 흐르는 저 봄을 보아라
쪼르륵 강물 따라 선율 걷는 저 봄을 보아라
경쾌하게 비명 지르는 이파리가 봄 길을 걷는다

흐트러지는 겨울 꿈이
발에 체이며 강물로 퐁당,
내 걸음마다 마지막 추위를 단속한다

단단하게 마음을 먹은 저 돌멩이는
겨울이 낳은 실현의 낯인가
언 땅은 부지런히 봄처럼 울어댄다
외투에 숨은 내 마음에도 봄이 왔는가

여기저기서 봄이 게으른 나를 꺼낸다
바람에도 강물에도 이파리에도 돌부리에도.

야경

어둠 속 쉬이 잠들지 못한 불빛
흐르는 시간을 거슬러
올라가는 도심 속 연어가 된다
물살 따라 흩어지는 요란한 헤엄질마다
안녕한 봄 밤,
고된 땀방울이 튀어 오른다

저만치에 젖어든 불빛이 튀어 오른 까닭은
내일을 위한 동경을 노래하기 위해서겠지
밤바람에 동경 한 잎 떼어
후 하고 날려보니
별을 잃은 슬픔이 짙다

매혹적인 밤은 당신의 편에서 아슬하게 피 오른다.

봄에게서 답장이 오길 기다렸다

우리 집에도 봄이 왔다고 해서
업신여긴 물건들
창고에 쟁여놓으려 했더니
작년 봄이 멍하니 쌓여있다

누가 봄을 화사하다고 했는가
비움 없이 채움만 가득한 봄은
지루하고 낯선 표정을 지우지 못한다

난 창고에서 작년 봄 꺼내어
볕 좋은 곳에 묻어두고
새로 돋아나는 이파리 앞에 섰다

부끄러운 내 얼굴에도 꽃이 필까
봄에게서 답장이 오길 기다렸다.

봄의 금요일

하늘 보고 자란 아이처럼
새로운 봄 길 위에서
구름 한 스푼을 떠 달콤하게
미소 짓는 싱그러움이 되고 싶다

청초한 꽃잎도 흔들리는 바람에
제 몸 다하여 사랑의 찬가를 부르고
가슴 부둥켜 쥔 너의 야들한 숨결
생이 피어나는 기적을 목격했다

손가락에 스치는 몽글한 느낌들이
아름다움으로 무장하여 끝없이 달린다
바람에 날리는 꽃잎의 용기는 봄날의 무기
봄의 금요일은 겨울부터 기다린 소풍이다.

꽃비가 내린다

떨어진 빗방울에 꽃향기 절여있다
꽃비 떨어진 길목마다
봄의 자존심 똑 똑 떨어져 있다
웨딩마치 끝나는 길에
봄의 기품이 결마다 맺혔다

성장하는 열매는 찬연하다
바라진 꽃잎은 파리하게 수려하다
꽃비 뒤에 오는 햇살
생애의 그늘을 새로이 비춘다

봄 빛 터지는 소리,
사랑의 축복인가 보다.

나와 함께

봄 길 걸어요
높은 하늘 낮은 바람
곳곳에 놓인 첫사랑을 놓치지 말아요

선물 상자 열어
아련해지기 전에
곳곳에 놓인 설렘을 놓치지 말아요

봄 길 걸어요
아름아름 떨어지는 꽃 잎
곳곳에 놓인 바람에게 뺏기지 말아요

길가에 핀 흔한 봄날은 없으니까요.

낮잠 자는 고양이

나른한 오후를 걷는 너에게
우주는 게으른 풀숲이었다

풀벌레 우는 소리도
여름 감기 걸린 것처럼 바르륵 거린다

작은 두 발 모아 잠든 낮잠
밤 새 소란스럽던 별 빛 정리하다
때를 놓친 게으른 잠이겠지

나비는 늘 번데기에서 태어나니까
오늘 밤 또 만나자
어둠을 휘젓는 나의 챔피언아.

카페에서 마주친 팝은 시원했다

세계가 사랑하는 곡이
하늘을 가로질러
바다를 가로질러
시차를 가로질러
20여 평 되는 카페 바닥에 착륙했다

귀를 내어 주며
시간을 내어주며
맥박을 내어 주며
두근거리는 분위기가
카페의 궤도를 공회전한다

나는 얼음만 남은 애꿎은 컵에
팝 가수의 뜨거운 호흡을 채워본다
5500원짜리 20분의 콘서트,
몇 천 원짜리 시원함을 마셨다
팝가수는 자신의 노래가
한 잔에 얼마에 팔리는지 알까
나쁘지 않은 뜨거운 여름날
팝 가수의 노래를 흥얼거리며 다시 여름을 걷는다.

여름 밤

여름밤이 나에게 말을 건다

창문 활짝 열어 턱 괴고 앉아
어둠에 나부끼는 여린 초록 잎처럼

고단한 하루 쌓아놓고 쏴르륵
쏟아버린 한여름 밤의 꿈처럼

여름밤이 나에게 대답한다

텁텁하게 깔리는 무게는
밀물처럼 밀려오는 여름의 숨결

곳곳에 누운 어수선한 하늘은
핑계거리 가득한 별들의 수다

여름밤은 별들을 지키는 파수꾼
덤덤하게 별 하나 훔친 나

여름밤은 길었다.

여름 위를 달리는 자전거

늦은 여름은 열정으로 얼룩져 있다
발 빠르게 움직이는 시선을 따라
후덥지근한 바람을 제치고 달리다 보며
어느새 땀으로 젖은, 승리를 거머쥔
아름다운 땅거미가 자욱하게 내려앉는다

나는 다시 페달을 돌리며
더운 숨을 내뱉은 들바람을 이겨본다
요란한 발재간에 템포 느린 여름이
내 어깨에서 열정을 다하여 춤을 춘다
여름은 열정 사이를 후벼대는 분주한 춤꾼이다.

여름 숲에서

초록빛에 부서지는 아침 공기
가지마다 숲이 자라고 있다

뜨거운 시간에 밀려나온 이파리
여기저기 훑어 보이는 까닭은
태양의 한 뼘만큼 사랑했기 때문에

귀 기울이면 속삭이는 달콤한 사랑
샴페인 속 축복의 멜로디가
깊은 숲 속에서 부그르르 터진다

사랑이 필요한 나무들이
태양의 한 뼘을 기다리며
눈부신 생이 초록스케치에서 부서진다.

비와 재즈

넋 놓은 채 짙어져 가는 빗물
나는 그 안에서 한없이 쏟아졌다
커피 한 잔 손에 쥐고
흐르는 재즈 위에 표류하는 나

목적지 잃은 시간은
내 마음 가로 질러
빗소리 부서지는 곳으로 달린다

오후 한 자락을 테이블에 얹어두고
가슴까지 흠뻑 적시는 여름비는
구름이 보낸 연정이었나 보다.

빗소리

톡 톡..., 톡.. 톡...
갑자기 내린 빗소리에
곧은 길 내버려두고
미련스러운 본연의 길로 걸었다

박자 맞추기에 바빴던 오늘
빗물에 깨끗이 씻어 놓고
온 땅 덮는 저 구름의 회환
찾고자 예민하게 주파수 맞춰본다

라디오 볼륨을 키워
가까워지는 저 빗소리에
나의 오후를 흠뻑 내주었다
빗소리에 기대고 싶은 날이다.

오후의 소나기

오후 한 때 소나기는 쏜살같이 질주한다
용기를 사러 가는 기사의 발처럼 재빠르게

비에 흠뻑 젖는 날이면
내 못난 굵은 자존심
탈탈 털어 빳빳하게 다려본다

소나기가 쓸고 간 산 자락에는
순백한 초록과 습 머금은
하얀 거품만 남아 있다

비가 세차게 내리는 날이면
젊은 날의 슬픔을
정갈하게 빗질해 본다

소나기 사이로 내 젊은 날이
구멍 난 우산 아래 우두커니 서 있다.

오랜 간만에 화창한 날

순박한 구름 한 점이면 될까 싶어
바구니 가지러 간 사이
금세 바람 타고 사라졌다.
시장처럼 이 구름 저 구름 사 올 수만 있다면
하늘에 죽 치고 앉아
상인들과 말씨름이라도 하리

퍼런 하늘 서슴지 않고
하이얀 구름들을 낳으니
어머니 등에서 곤히 잠든
아이의 뺨 같이 보송보송하다.
지난 며칠 빗줄기가 떠드는 북새통에도
하늘 원망 않고 기다린 보람이 있으니
가는 길 달달한 솜사탕 사 가지고
집으로 돌아가 보리.

7월

그 해 여름
흘러가는 구름 마냥 가벼워
숨을 가득 들이마셔도 무성해지지 않았다
담타고 내린 각오는 덜 영글었고
내 안에 남은 각오는 느린 걸음 같다

비 내리는 날
흙탕물에 이름 모를 구름 누워있고
초록빛 튕기는 이파리 위
블록거울 들여다보며
홀연히 앉아있는 나

내 7월에는 기르고 싶은 것들 잔뜩 쌓여
나는 그 시시한 것들 빌리러 가는
부끄러운 빚쟁이같이 서 있다.

이런, 걸음마다 낙엽이

한 걸음 빨갛게
두 걸음 노랗게
세 걸음 와인향

가을 걸음은 정신없이
쏟아지는 열정 사이를
걷는 고양이

바람에 일렁이는 저 낙엽
두 발 아래 부스러짐은
거침없이 달려왔던 초록 잎의 변주,

드럼 위 튀기는 가을 잎은
길 위 쏘다니는 어지러운 박자들.

기타 치는 참새

하늘을 쏘는 깃털은
무엇을 노래하고자
한 음 팅기며 가을을
한 음 팅기며 자유를

짹짹 지저귀는 부리들
박자를 춤추게 하는
줄에 매달린 경쾌한 영혼

통통 팅기며 저 하늘을
통통 팅기며 저 구름에

파아랗게 쏠린 유랑의 길
크림 듬뿍 발라진 말캉한 구름
긴 하늘을 오르내리는 음표들

어디로 팅길 줄 모르는 음색
팽팽한 전깃줄 사이를 총총,
윙윙 우는 기타 치는 참새들.

아침부터 밤까지

아침 햇살 좋아
널어놓은 초라했었던 자존심
먼지조차 탈탈 털어낸다

아침볕에 쏘여 발개진 마음
낮에도 밤에도
단단히 마르겠지 했건만
한 움큼 쥐어 봐도
지난날 그리움에 허기진 꽃 한 송이 같았다

무거운 밤에 젖은 그때를
종일 모른 체 내버려 두었다며
언젠가 가여운 얼굴로 기쁘게 손 흔들었을까
나는 애꿎게 마주할 용기만 탓했다.

오래된 시집

오래된 시집 속
그때의 가을 냄새가 진하게 났다
수많은 계절을 보낸 단어
바슬거리는 햇빛에
거리 위로 쏟아진 낙엽처럼 계절을 기억했다

홀로 뜨겁게 훔쳤던 문장
사랑한 흔적들이 끝없이 오늘을 기다렸다
흩날리는 눈발도
봄날의 꽃도
소나기 같은 청춘도
돌아올 가을을 위해
페이지마다 사랑을 앓았다

난 시들을 위해 새로이 쌓인 낙엽 위를 걸었다.

문득 사진 속에서

특별히 관리하지 않아도 늘 젊은 사진
손가락으로 여기부터 저기까지
문질러 봐도 주름 하나 없는 곳

나는 낭만들을 가을 햇살에 내놓으며
벌겋게 익어갈 때 쯤
시선 거두어 사랑을 담고 싶었다

햇살과 달빛 아래
쏘다니며
꺼드럭거리며
활개한 젊은 날들이
무색한 거리 어디쯤
특별하게 불리면
가벼운 인사조차 그리겠지요.

낮에 뜨는 달

달은 엄마의 시간이었고
해는 나의 시간이었다

온전하게 깊은 밤을 만든
엄마의 묵묵한 등허리
분주한 밤 길 걸으신다

달에서 오는 저 빛은
시답잖게 노니는 내 시간을
키우면서 더 처연해졌을까

낮에 뜨는 달은 애달프고
해는 밤을 침범하지 않는다
엄마의 시간 속에서
나는 온전히 잠들었기에.

당신을 기다리며

긴 해를 지나쳐
짧아져 가는 그림자에
당신의 지난여름이 누웠습니다

콧잔등에 내려앉은 가을이야말로
온통 노을에 잠긴 하늘의 서한
아 저 낮에 걸린 붉은 입술은
사랑을 읊어대던 여름밤의 속삭임

저기서 당신이 걸어옵니다.

오늘밤 당신과 함께라면

당신과 나
피아노 건반을 건널 때 마다
오래된 연인들처럼 발맞추어
하얗고 까만 멜로디에 춤추고 싶어요

잔에 담긴 그대 목소리
찰랑거리는 햇빛 같아
그늘진 마음에 들여놓고 싶어요

오늘밤 당신과 함께라면
길어지는 어둠에 별빛 켜놓고
흐트러지는 바람이 되고 싶어요

떠나가는 낙엽들이
우리에 대해 노래할 때면
잠에 든 그리운 날들
욕심내어 취해 볼래요
와인이 익어가는 다락방 향기
아침을 깨우는 입맞춤에 젖어 있겠죠.

꽃이 지는 길

꽃이 지는 길
가지마다 하얀 꽃들이 새로 피었다

활짝 피었던 꽃잎
서운한 시간 어디쯤에선가
별똥별처럼 떨어졌다

나는 돌아서서
흙 벗어난 길 어디쯤에선가
하얗게 부서진 별빛을 주었다

아름다움이 지는 길
바람에 지는 꽃의 통증은
길에서 주운 나의 간절한 도약이다.

한 걸음 걸으며

빈 땅을 걸었습니다

하나 둘 셋 그리고 당신
다섯 여섯 일곱 그리고 당신
우리가 걸어온 길마다
섭섭한 숫자가 떨어졌습니다

하나를 걸어올 때는 설레었고
둘을 걸어올 때는 사랑했고
셋을 걸어올 때는 완강했고
그리고 시간 저 너머로 믿음이 누웠습니다

다섯을 걸어올 때는 슬펐고
여섯을 걸어올 때는 미웠고
일곱을 걸어올 때는 후회했고
그리고 끝을 노래하는 의지가 얼었습니다.

난 빈 땅을 다시 걸었습니다.

10월은 아직 뜨겁다

지난 아홉 달이 어느 굴뚝 연기로 사라졌다
10월을 더듬어 굴뚝의 주소를 찾았다
벌겋게 휘날리는 성장의 부스러기들
나는 무엇을 애태우게 태웠는가

가을 길목 지나쳐 가는 열정과 희망
바람에 쫓다 황망히 남아있는 나
아직도 굴뚝에서 연기들이 피오른다

겨울을 보낼 장작의 개수를 세워본다
용감한 날들이 수두룩하게 쌓였다
굴뚝이 식으려면 아직 멀었다
주인공은 마지막에 등장할 테니.

곶감이 입안에서 비어진다

구부러진 등을 세워놓고
나는 엉뚱하게 낮아진 천장에 대해 생각했다
벽에 달린 곶감은 누구 입에 들어간다고
저리 걸어두셨을까
수고로움에 수고를 더하는 일이
촌스럽고 볼품없어 보인다

퇴직 시기 넘긴 이불
시린 무릎 덮는 일이 지긋지긋하겠지
새 이불 아까워 펴놓은 보풀 난 이불
밤새 뒤척이며 거친 숨 내몰았을 텐데

아직도 부스럭거리는 투박한 손
냉장고를 한참 비워낸다
이불이나 비우시지,
곳곳에 비울 것이 많다
이 작은 방은 할머니의 밭인가

돌아서서 곶감 하나 손에 쥐어 주신다.
쫄깃한 단내다
촌스러운 맛으로 오해했는데
감칠맛 나는 곶감이 미웠는데
그 해 겨울 넓은 방이
자꾸 내 입안에서 비어진다.

겨울 모닥불

타닥 타닥, 모닥불이 땅 속에서 겨울을 캐낸다
달궈진 불씨 하나, 트리에 걸려 빛내려 애쓴다
나는 어느 느린 시간에 머무르며
겨울밤 돋아나는 이파리들처럼
벌겋게 익은 모닥불 위로 밤새 트리를 세운다
사랑을 모방하는 불꽃들이
공중으로 빨갛게 피어오를 때마다
트리에 걸 수 있는 빛들이 자꾸만 튀어 오른다
겨울밤에 기댄 생각들이 모닥불을 닮아간다
땅 속에서 캐낼 것들을 생각해 본다.

숲에서 헤매는 밤

구름 어스름이 깔린 밤의 실루엣,
어둠으로 갇힌 숲에서 별 찾아
밤에 상주하는 올빼미가 되었다

빼곡한 나무를 휘감는 밤의 울음이
청승스럽게 하늘을 가르며
가엾게 굶주린 걸음마다
부릅 뜬 별을 집어낸다

어둠을 뚫고 달려오는 별 빛,
휘청이는 창백한 밤에게
차오르는 포도주의 향처럼
코끝에서 유별난 밤으로 기억된다.

아버지, 그림자가 서성입니다

어색한 그림자가 가로등을 등질 때
무슨 생각 하셨을까
검게 바닥에 눌러 붙어
뜯어지지도 않을 생을
애써 끌고 다니신 겨울 저녁
거울 속,
살면서 놓친
자신을 바라보는 연민들이
겨울에 짙어진 그림자처럼
익숙한 색이었을까
난 그 익숙한 색에
더 짙게 색을 섞어 말을 건넸다
저녁밥 먹으러 가요, 배고파요

배고픔을 나눌 수 있는 그림자는
생각보다 유일하다
나는 출출해진 그림자를 끌어 당겼다
아버지, 오늘도 당신의 그림자가 서성입니다.

눈 소리가 들린다

빗소리가 얼어 툭 떨어진 눈
십 원짜리만큼 값싸게 녹는다

지난여름,
비 피하려던 사람들이
거리의 빗소리를 듣고 사라졌다

티브이에서 눈을 쏟아버린 구름의
위치에 대해 한참을 떠들어댄다
눈 오는 날은 비 오는 날보다 기억하기 좋다
목적지가 분명하게 쌓이니
조각 난 빗소리를
큐브처럼 조립하려는 사람들이 웅성댄다

겨울을 만드는 사람들이 거리로 쏟아진다
잃어버렸던 빗소리가 고양이처럼 돌아왔다
눈이 쌓인다
캐럴들이 거리에 붙잡혀 따뜻한 뱅쇼처럼 짙어진다
눈 소리는
값싸게 폭죽을 터뜨릴 수 있는 값 비싼 선물이다.

따뜻한 겨울

아름다운 겨울이 쌓였습니다
사람을 가장한 눈사람들이
얼굴에 사랑으로 도배했습니다

코 끝 간지럽히는 눈송이에
따뜻한 의문이 드는 것은
연인을 바라보는 눈이 뜨겁기 때문입니다

하늘 향해 고개 젖히는 아이들 입
작은 고개로 겨울 이름을 부릅니다
잊혔던 꿈을 춤추는 눈에서 찾았습니다

나무 아래 겨울이 꿈꾸는 세상은
식지 않는 자동차 아래 숨는 고양이 같습니다
후두둑 눈덩어리가 떨어지지 않게
한참을 쌓아두는 배려가 가득합니다

눈길에서 두 손 올려
영원할 것 같은 사랑을 잡았습니다.

겨울에 듣는 버스킹은 연습 중이었다

평일 낮 공연하는 무명 가수
앉을 곳 있는 어디든
속절없이 단념한 추위에 멜로디를 붓는다
초대된 적 없는 이름 모를
유모차 끄는 여인
마실 나온 노인
우연히 앉아 있는 나

흐트러진 탁자 위
외로울 틈 없이 붙잡혀
수없이 고침 받았을 가사
지독한 바람 소리에 지지 않게
볼륨을 키워 그대 가슴에 착륙해야지

평일 겨울에 익숙해지는 일은 더 시리고 더 짙다
노래한 이도 듣는 이도
무릎에 놓인 겨울만큼 즐기다 자리에서 일어선다
바람 분 자리에 새 노래 가사가 놓여있다.

스노우 볼

우리의 아름다운 날들이 휘날려요
나의 시간은 흰 눈으로 내리고 있어요
당신은 그 곳에서 반짝이고 있네요
저 흔들리는 겨울은 당신과 나의 것이죠
우리 안의 축복된 시간은
빛나는 별보다 찬란해요
당신의 숨결이 내 가슴에서 소용돌이 쳐요
이곳은 영원한 겨울이에요.

12월 1일

남은 달력이 다 뜯기자
12월이 시작되었다고 했다
구겨진 11월이 쓰레기통으로 갔다

하루 더 11월로 살아간다면
앳된 하루를 살아낼텐데
정확한 날짜에 생을 마감한 11월을
애도하고자 주름 진 종이 위
내 주름 진 하루를 쫙 펴냈다

쪼글쪼글 해진 하루는
무력하고 상심에 빠진 노인의 손을 닮았다
강물에 쓸려 내려간 낙엽같이 경솔하다
말라비틀어진 시간을
이겨낼 재간은 처음부터 없다

12월 1일에서 11월의 얼굴이 비친다
11월로 늙은 12월은
하루만큼 고적하고 무거운 시간을 안았다
그제야 뜯긴 11월이 가엽게 보이지 않는다.

거룩한 밤

눈의 그림자는
하얀 색인가
파란 색인가

별의 그림자는
동경인가
슬픔인가

겨울 밤 지휘하는
은총의 빛들은 대담하다
나의 눈 총총 메꾸는 축복은
천사의 그늘인가.

권기연

살아있는 것들에 그리움을 얹다

매일의 그날 속에
숨쉬는 공기처럼
우리는 많은 감정과 언어 사이에
스치듯 살아가고 있다

어떤 날은 시리도록 춥게
다른 날은 꼼짝없이
움직임 없는 하루를
보내면서도 아무렇지않게
지나온다

하지만 그렇게 지나가는
것들을 잡아 놓지 못하고
어느 날 문득 돌아보며
아쉬움과 그리움을 남기게 된다

지난 것을 찾으려 않고
오늘의 것을 만나보려고 한다

그렇게 소중한 것들을
담아 존재하는 모든 것들과
마음을 나누고 싶다

_ 시인의 말

낙엽에 발을 담그다

차가운 바람결에
밤새 몸을 눕혔을
그들 사이로 발걸음을 뗀다

고요함 속에 처절했을지도
모를 그 몸짓 속에
그저 내 발을 담글 뿐이다
발끝의 한기를 핑계로
손에 쥔 커피,
바람은 차고
몸은 피할 길 없으니
내 손안의 따스함이 짜릿하다

멈짓,
그 사이 한 모금이
나의 숨을 터준다
이 짧은 숨통이
잠깐의 멈춤으로 설레인다
비워버린 거리위에
홀로 걷다
비밀스런 행복에
때때로 나의 걸음이
멈춰지길 바란다

한그루의 나무이길 꿈꾼다

한그루의 나무이길 꿈꿨다
버틸 힘조차 잃어 주저앉은 날

말없이 내게 쉴 곳을 내주고
말을 걸었던 그 때처럼
그 위로의 나무가
요란한 사람의 말보다
더 진중했고 든든했다

바람도 내 눈물을 날렸고
가끔 떨어지는 그 잎들은
외로움을 날려 주었다

아무도 눈치 채지 않게
속삭여준 너를 느끼며
지나치는 세월 앞에
초연히 뿌리를 다지는
나도 그런
한그루의 나무이길 꿈꾼다

흔적을 털어내다

봄을 맞이하는
겨울의 흔적털기처럼
비는 내렸고
가지 틈에 걸려있던
겨울의 흔적들도
계절의 대청소마냥
떨구었다

내 마음도
비 내려
개운한 바람을
맞이하고프다

시샘하듯

가을날
야단스런
나뭇잎의 변화를
시샘하듯

텅 빈 밭의 콩잎은
어찌 그리
노랗게 익었는지

계절의 끝을 향해
달음박질 쳐온
낯빛이다

겨울 채비

문득 만난
목련의 겨울눈은
차가운 바람 속에
단단한 옷으로
살포시
겨울을
맞고 있는데

문득 만난
우리네 겨울채비는
차가운 바람 속에
목도리 칭칭
모자도 푹
마스크도 꼭
참 요란스럽기도 하다

시인의 계절

가을은 이름 드러내지 않는
시인의 계절이다

새벽녘 스치는 바람에
놀라 움츠리고
마주 친 깊은 하늘에
긴장도 풀어 녹여보고

슬며시 걷다 만나는
작은 이들의 외로움에 빠져
숨겨놓았던 감각도
모아 세우는

우리는 오늘의 시를 채워가는
이름 드러내지 않는
가을 시인이 된다

그래도 어찌 하루는 지나간다

하루가 그냥
지나갈 리가 없다

큰 숨 하나 몰아쉬고
돌아서 또 작은 숨
연거푸 몰아쉰다

그사이
미소들은
덤처럼 얹어지고
몰아쉬는 나의 숨들을
채워 넣는다

오늘 하루도
그렇게 잘 지냈다

소나무의 길

바람에게 길을
내주었나 보다
몸이 돌려 틀어져
자란 모습이
흔적처럼
남겨져 있다

어떤 날은
바람의 힘에
마지못해
내주었을 듯 하고

다른 날은
따스한 햇살에
기분 좋아
내 주었을 듯하다

그런 나무가 좋다
안면도 어디쯤
궂은 바람에도
길을 품고 사는
너가

참 사랑스럽다

어제는 비가 왔고,
오늘은 멈췄다

세수를 했다
시원한 겨울비에
깔끔이 얼굴을 닦고
맑은 얼굴로
날 마주 보고 있다
갓 씻어낸 그 모습이
참 사랑스럽다

일찍 나서길 잘했다
비밀스럽게
아직 물기를 머금은
오늘의 거리가
참 사랑스럽다

빈손 나무

툭툭 꺾인
마디가
한겨울
울 엄마
맨손이다

까칠한
껍질은
매일 보는
울 엄마
손등이다

겨우내
바람 속
지켜야 할
나뭇잎도
내려놓고 보니
울 엄마의
빈손이다

오늘도 그대를 꿈니다

바람에
묻어온
그대의
그리움에
내 심장에
숨통을 트고

희망이
마르지 않는
오늘
그대는 내게
그리움의 자리를
틔웁니다

그렇게
그대가 있어
나는
오늘도
그대를 꿈니다

그리움으로 온다

비가 오는 가을밤
너의 그리움으로
나의 쓸쓸함에
무게가 더해진다

얼마만큼의
무게인지 알 수 없이
바닥으로
내려앉는데

떨어져 나가지 않는
그리움이
편해지는 건
드러낼 길 없는
사심이다

밤에 내리는
비는
살짝쿵
나만의
그리움으로 온다

소나무의 날개 씨앗을 보셨나요?

소나무의 열매
솔방울의 실편 사이에는
날개가 달린 씨앗이 들어있답니다

비가 오는 날은
혹시라도 날개씨앗을 놓쳐 잃을까
실편을 꼭 닫고 있다가

날이 좋고 비가 오지 않는
햇살 좋은 날엔
실편의 문을 활짝 열어
날개씨앗이 더 좋은 곳을 찾아
힘껏 날아 갈 수 있도록 한답니다

묵묵히 그 자리를 지키면서도
씨앗을 떠나보내는 소나무의
마음은 어떨까요?

씨앗을 안고 있는 모습이
마치 자식을 품에 안고 있는
부모의 마음과 같다는 생각이드네요

소나무의 꿈

너의 날개가 되고픈 마음을 담아
너의 소망을 안고 날아갈 거야
다시 돌아 올 거란
약속을 안고 너를 기억해 줄게

이렇게 멀리 너를 두고 떠나가지만
눈물 흘리지 않음을 잊지 말아줘
다시 만나 내가 너와 하나 됨을 알고
너를 그리워할게

비 오던 어느 날
너를 품에 안고 지키며
온몸으로 기다려옴 또한
내겐 행복이었다고 그 때 이야기 해 줄게

이제 따스한 햇살 속에
너를 보내주려 하고 있어
아쉽고 그리움에 가슴은 아파하겠지
하지만 우리 기억하자
내가 너임을 너 또한 나였음을

힘껏 날아가렴, 나의 꿈
눈부신 햇살 속으로

창경궁을 걷다

역사 속으로
걸어본다
우리의
짧은 인생이랑
견줄 수 없는
긴 세월 동안
지켜진 것들을
바라보며

오늘의 어려움도
곧 세월 속에
묻혀 지길 바라며
돌계단에 앉아
맞는 바람과
비는 한낱 지나가는
흔적이길 바래본다

너나 나나 마찬가지

비가 멈춘 사이
주차장 한켠에
분꽃이 눈에 들어왔다

작은 나팔 모양
곱게 피었던
흔적은
보이질 않고

비 소식에
온몸을
움츠린 채로
고개를 들
생각이 없어 보인다

이 비에
당황스럽긴
너나
나나
마찬가지
인 듯싶다

하늘 아래

어느 곳 이든
하늘 아래

절망의 날인 듯
싶다가도
고운 빛깔
펼쳐진 오늘

너에게 다시
빠져본다

어느 곳 이든
어디 든
하늘 아래

하늘을 본다

마음을 비운 채
하늘을 본다

너무 높아
눈물이 난다

가까우면서도
언제나
먼 듯한
너를 그리며

마음을 비운 채
너를 보듯
오늘도
하늘을 본다

어른이라서

난,
어른이 된
아직도
튤립을 보면
엄지공주가
떠오르곤 해
왜일까?

옛날 읽었던
엄지 공주의 이야기가
그립다는 건

현실을
벗어날 수 없는
어른이기
때문이겠지

한밤 기록

늦은 밤
야식은
나의 배를
채우지만

이 밤
노래 한 자락은
나의 빈 시간을
채운다

요란한
소리 없이
시간은
채워진다

맨드라미

아이들이 들려준
이야기 속에
남겨진 핏자국이
아직도 선명하다기에
이쁘다 곱다
생각 못했는데

우연히 만난
너는 쓰레기더미 사이
용케도 고개를
내밀고 있다

잎 사이로 불쑥
붉은 얼굴을 마주보니
전설 속 기사의
투구 같구나

세상에
두려움 없이 덤벼드는
나의 돈키호테처럼

한 잔 할까?

어느새 훌쩍
저녁시간은 지나고
쓸쓸한 밤이 되니

컵 한잔 가득
밤하늘을 담아
벌컥 벌컥
마셔보고프다

웬지
어제 내린 비에
시원한 맛,
그득 채워질 듯하다

우리 같이
한 잔 할까?

왜?

우리의 오늘이
가장 아름답다는 걸
항상 내일이
되어 서야 눈치를 챈다

살아가며
숱한 눈치 속에
이리 저리
찾아보지만
놓치고
놓치는
이유이겠지

그게 오늘인거야

노안

모두 잠든
이 밤이
내겐 더욱
또렷한 시간인데

안경을
벗는 날이
더 많아졌다

편한 줄
알았던 것을
덩그러니
벗어 놓으니

초라한 것이
벗겨진 나인지?
벗은 너인지?
알 수 없는
밤이 되었다

숲이 들려주는 희망

나무 사이로
떨구어진
지난 잎처럼
긴 한숨만큼의
시름은 내려놓고

새로 돋아나는
그 여린잎 사이로
우리의 희망도
한 잎씩 피워본다

숲은 세월 속에
그렇게 지켜진다
희망을 품고

그리움의 무게

오늘 바람이
시원터라

그 바람만큼
모두가 가벼웠음
좋겠다

특히 너에게로 가는
그 바람은 더욱
가벼워지길

나의 그리움이
바람에 묻어
너에게
무거워지지
않길바래

문득

문득 전해온
소식에
그리움이
묻어온다

"우리가
사람이 고파서…"

내가
너에게
무엇이 되어
채워지고
있었다니

나도
너가
하염없이
고프다

모과나무

한여름의 뜨거움에
거친 숨 몰아쉬다
올려다보니

너는 그 뜨거운 햇살 속에
분홍 꽃잎 흔적 없이
떠나 보내고
가쁜 심장 하나 안고 있더라

사랑 잃고도
그리움 남겨둔
야단스런 나보다

점잖은 너는
울퉁 불퉁 상처를
고운향으로
품어 낸 듯하다

가려지질 않아

눈을 감으면 뭘해?
그래도 너가 보이는 걸

어두워도 소용없어
"있잖아,
그래도 내 눈엔 너만 보여"

무얼 해도
사라지지 않고
있는
너를 보는
나는 무엇으로
너를 가려야 할까?

포도나무

길에서 만난 포도나무
듬성 듬성 알알이
비워져 있는 모습에
한참을 머물러 보았다

내가 자랄 자리만큼
비워야 한다는 걸
알기에
욕심내지 않고
비워 두겠지

지금은
서투른 알갱이 사이로
바람 길도 만들고
누군가의 길도 되겠지만

차츰 차츰
서둘지 않고
계절에 맞춰 익어가겠지
마음이 닿아 잘 자라라
잘 크거라
말을 건넨다

잊혀져 가는 것

하루 하루
잊혀져 가는 것들이
있다는 건
슬픈 일 만이 아닌 듯싶다

그 속에
또 다른
나를 찾아 볼 수 있는
기회가 되는 것

조금은
그렇게
잊어버려도

결코
나를
버리지 않는 날이다

유리산누에나방

똑똑
괜찮니?
잘 지내고 있는 거지?

나뭇잎도 아니고
열매도 아니면서
그런 척
매달린 너에게

초록에 그리움을
핑계 삼아 안부를
물어본다

빈집에
요란한
노크 소리라도 남겨
그리운 소식이라도
전해본다

소나무는 목하 열애중

비오는 토요일
노랗게 날리는
송홧가루가
비에 젖어 있는
모습에

애타게
바람을 탔을
소나무의
수꽃에게
안부를 물어 본다

괜찮은 거지?

너의 그 젖은 마음도
갈 곳 잃은
나의 마음과 같다

견디다

함께 걷는다
천천히
조금은 빠르게
서로 다르게 걸어도

미소 한가득 안고
갔던 그 길은
마음 따라
하늘빛이
잊혀 지지 않는데

무거움을 견디다 보니
일상이 참으로
가벼워진 듯하다

그대로 남겨진
모든 것들이 소중하다

낯선 사색

봄이 조금 더디게
오는 듯하다

바람도 차가운 듯하더니
함께 한 볕은
제법 따스운 날

기와지붕 옆
돌 틈 사이에 난
애기똥풀의 모습에 빠져
숱한 눈빛을 준다

흔하디 흔하게 모여 있어
무심코 지나치기 일쑤인데

혼자 피어 있으니
눈에 오롯이 담겨진다

때로는
혼자만의 외로움이
내게로의 낯선 사색이 되듯이

길을 떠나보자

언제나 제자리인 듯
싶지만,
출발했고
가는 중이고
끝이 보이질 않는다

끝이 보이는 길을
간다는 건
모험가답지 않은 여행을
떠나는 것과 같다

여정 없는 여행이 주는
새로운 것들의 만남은
긴장일지 희열일지
알 수 없지만

덜고 더하는 것조차
나의 선택이기에

다시 한번 되새기며
모험가답게
길을 떠나보자

코로나19

주인이 누구일까?
알 수 없는 텅 빈 학교에
떨어진 꽃잎들이
잃어버린 아이들의 웃음마냥
운동장 한 켠에 맴돌아
조심스레 한 잎 주워본다

창문너머 새어나오던
알길 없던 웅성거림도
오늘의 이 조용함에
아득한 그리움이 된다

마음껏 누구의 이름도
불러볼 수 없음에
그리운 나의 눈물도
한 잎으로 떨어지고

어디선가 바람으로
날아다니다
그렇게 다시 웃음소리로
피어나길 바라며
텅 빈 운동장에서 발길을 뗀다

기억의 숨

끝을 찾을 수 없는
바다를 한없이 바라보고픈
꿈을 꾼다

떠났던 그 여행의
추억을 더듬으며
바다내음 파도 소리를
오늘의 일상 속에
꺼내본다

큰 숨을 몰아
한숨 쉬어보니
짜릿한 그 추억이
깊숙이 들어온다

다시 또
떠나보자고
작은 숨들을
모아 삼켜보니

오늘을
살아가는 건
기억의 숨이란 걸

봄날이 간다

한 낮의 따스함에
노곤한 하품
몇 번
참 날도 좋은데

화려한
봄꽃들
사이에
조용히 피었다
지는 꽃에
내 눈길을 맞추고 보니

둘러볼 틈 없이
봄날이 간다

너 떠난 자리

꽃이 그냥 떨어졌을까?

마주 못한다고
너를 잊을까?

꽃이 진자리에
너는 그렇게 지키고
떨어진 꽃을
못내 그리워하겠지?

너희들의 그 절절한
사랑이야기를
누가 눈치 챌 수 있을까?

너와 내가
마주 보지 못한 걸
누구에게 물어야 할까?

황주희

웃는 모습이 예쁜 그대에게

언제부터인가 웃음 짓는 일이
점점 줄어들고 있습니다

그럼에도 열심히 살아온 나에게,
너에게,
우리에게
이 시가 따뜻하게 다가갔으면 좋겠습니다

나의 웃음에 상대방도 웃음을 짓고
상대방의 웃음에 나도 웃음을 짓고

웃는 모습이 매우 예쁜 나에게,
너에게,
우리에게
마음을 담아 글에 흘려보내 봅니다

모두에게 닿아 포근하게 감싸주기를.

_ 시인의 말

내면의 소리

소음이 끊어지고
내면의 소리에
귀를 기울일 시간

사람은 누구나 다
선택의 기로에 서 있고
그 기로에 서서
깊은 고민을 한다

자신의 마음이
어디를 향하는지
소음에 귀를 막고
내면의 소리에
귀를 기울일 시간이다

도무지 알 수 없는 나

어둠이 내려야 잘 보이는 별처럼
내 마음도 어둠이 내려야 잘 보였다

어둠 속에서
별은 이리도 아름다운데
내 마음은 왜 이리도 복잡한지

도무지 알 수 없는 감정선

걸을 수 있는 길

지금 서 있는 길이
나의 길이 아닐까 봐
문득 겁이 났습니다

한 발자국을 더 내디디면
영영 벗어나지 못할까 봐
꼼짝없이 굳어버렸습니다

나의 길이 아니면 어때요
한 발자국을 더 내딛어봐야
또 다른 길이 나타날 테니
한 번만 더 내디뎌 봐요

늘 같은 자리에서

좋은 날인데 슬프다
좋은 날인데 쓸쓸하다
무슨 이유인지
바람의 세기는 매번 다르고
바람에 나는 매번 흩날렸다
늘 같은 자리에 서서
바람에 흩날리던 날들

돌부리

걸어가는 길에
돌부리를 마주했다

알고 만난 돌부리에도
미처 대비하지 못하고
모르고 만난 돌부리에도
미처 대비하지 못해서
흉터를 남기고 말았다

돌부리에 걸려 넘어져도
멍도, 상처도
남지 않았으면 좋겠다

그거 하나면

시간이 흐를수록
혼자 감당하려 해서
점점 무거워지는 마음이
나를 삼키지 못하도록
매일 웃으려고 노력해

힘들다는 말이 나쁜 말이 아닌데
힘들다는 말을 애써 삼키며
생각을, 기억을 점점 지워나가게 돼

시간이 흐를수록
무너지기 쉬운 마음이라
힘들다는 말이
입 밖으로 나오면
곁에서 말없이 다독여줘

그거 하나면
아픔이 다가와도
앞으로 나아가볼게

떨어지는 중

왜 그런 날 있잖아
몹시도 초라해지는 날
그런 날이면
접착력을 잃은 포스트잇처럼
팔랑팔랑 떨어져 나간다
그렇게 나는 힘없이
떨어지는 중이다

안개

알 수 없는 공허함이
지독하게 깔릴 때
벗어나는 길이
없다는 걸 알았을 때
떨어뜨릴 수밖에 없었다
희망을

지켜줄게

누군가의 말 때문에
쉽게 무너지지 않았으면

누군가의 손짓 때문에
쉽게 휘둘리지 않았으면

누군가의 발 때문에
쉽게 짓밟히지 않았으면

너무도 아름다운 너니까
충분히 힘을 가진 너니까

이제 벗어날게

필요할 때만
찾아오는 사람
그런 사람이 있다

그 사람이 손을 뻗는다면
뒤돌아보지 말고 떠나야 한다
내가 가장 소중한 존재이기에

필요할 때만
찾는 사람 덕분에
필요할 때만
사라지는 법을 배웠다

구미가 당기다

평생 잊을 수 없는 사람
그대의 사랑이 분에 넘쳐서
섣불리 돌려줄 수 없는 사랑

눈을 떴을 때부터
늘 곁에 존재했지만
평생 함께할 수 없는 사람

우리에게 주어진 시간이
얼마나 남았을까

사랑하는 사람의 얼굴에
이제는 늘 웃음꽃이 피었으면 합니다

몇 월 며칠

행복하기만 해도 모자란 사람아
부디 자신을 먼저 생각해주세요

모진 비바람이 몰아친다면
제발 혼자 견디지 말고
그 비바람을 피해주세요

따사로운 햇살이 비친다면
제발 혼자여도 좋으니
그 햇살을 받아주세요

행복하기만 해도 모자란 사람아
부디 온 힘을 다해 행복해 주세요

길의 끝

수없이 고민하고 방황하며
걸어가는 길

길가에는 날카로운 가시
밟고 있는 길은 진흙탕

오늘도 끝없이 의문을 던지며
해를 찾기 위해
한 발자국 내디뎌 본다

어디로 향하는 길일까
걸어가는 이 길이

소원

늘 행복하기만 한 하루는 없다
늘 우울하기만 한 하루도 없다

늘 행복하라는 말보다
행복한 시간이
행복하지 않은 시간보다
훨씬 많았으면 좋겠다는 말을
늘 건네본다

오늘도 그렇게 살아갑니다

애써 덤덤한 척
오늘도 그렇게 살아갑니다

애써 괜찮은 척
오늘도 그렇게 살아갑니다

뭐가 이토록 지치게 하는지
알면서도 모르는 척
오늘도 그렇게 살아갑니다

힘든 오늘 속에도
따뜻한 시간이 스며들기를
조금은 간절하게 바라봅니다

필요한 힘

너무나도 아름다운 그대 곁에
오래도록 머물고 싶어요

힘이 들면
언제든 쉬어가고
눈물이 흐르면
언제든 닦아줄게요
아픈 일이 있다면
옆에서 들어줄게요

그렇게 내가 존재하는 한
그대에게 필요한 힘이 되어줄게요

걱정하지 말아요
아름다운 그대 곁에
오래도록 머무를게요

쉼표

선선한 바람이 불어올 때
잠시나마 쉬어갈 수 있기를

쉼 없이 달려온 마음에
휴식을 선물해 주기를

짐은 잠시 내려놓고
불어오는 바람에
온전히 나를 맡긴 채
쉬어가기를

쉼 뒤에 오는 힘으로
가득 충전되기를

치료해야 하는 이유

애써 상처를 외면하고
내버려둔 사람은
그 자리에 다른 상처가 오면
더 많은 피를 흘린다

너의 상처가 치료로
완전히 아물지 않겠지
그러나 다른 상처로
더 많은 피를 보지 않겠지

뜸들이다

상처가 생겨서
가만히 놔두어도
천천히 아물듯이

마음에 상처가 나면
잠시 가만히 놔두고
그 후에 다독여줘

상처에게도
시간이 필요해

급하게 연고로 덮는 것보다
천천히 상처를 들여다보는
시간이 필요해

눈물도 하늘을 보러 나왔다

고개를 들어 하늘을 보았다
모든 소리가 귀를 지나쳐가고
하늘만 오롯이 보였다
눈부시게 예쁜 하늘인데
왜인지 마음이 먹먹해진다
눈 혼자서 하늘을 보다가
어느새 눈물도 하늘을 보러 나왔다

여전히 그곳에

눈을 떴는데
벼랑 끝에 서 있다

휘청거리는 몸이
너무 위태로워 보여서
숨조차 쉴 수가 없었다

그럼에도
나는 여전히
벼랑 끝에 서 있다

뒤로 물러설 수도
앞으로 나아갈 수도 없어서
여전히 그곳에
있을 수밖에 없었다

삶의 끝자락

그대가 만일 나를 본다면
나도 그대를 바라볼게요
그대가 만일 나에게 다가온다면
나도 그대를 향해 다가갈게요

내가 만일 그대를 본다면
그대도 나를 바라봐줄까요?
내가 만일 그대에게 다가간다면
그대도 나를 향해 다가와 줄까요?

혹여나 내가 그대를
잡으려 한다면
그때는 그대가
한 발자국만 떨어져 주세요

무슨 일일까

왜 그리도 서럽게 우나요
누가 그리 힘들게 하던가요
언제 그런 일이 일어났나요
어디에서 그런 큰 상처를 받았나요
무엇이 그리 아프게 찌르던가요
어떻게 하면 그대가 괜찮을까요

그대만 괜찮다면
곁에서 손 잡아줄게요
그대만 괜찮다면
곁에서 꼭 안아줄게요
그렇게 곁에서
가만히 귀 기울여줄게요

꼬인 실을 잘라낼 시간

가끔은
정처 없이 걸어보고
가끔은
계획 없이 떠나보고

그렇게 가끔은
나를 놓아주는 시간

꼬인 실을 잘라낼 시간

예고 없이

갑작스레 불어와서
떠나지 않는 사람
자기 집이 아닌데
언제쯤 떠나가려나

들어올 때
예고 없이 들어왔으면
나갈 때도
예고 없이 나가면 되는데
언제쯤 떠나가려나

들린다면 찾아와줘

유난히 보고 싶어서
보고 싶다는 말을 툭 던진다

이 말이 그대에게 전달됐다면
그 말을 타고 그대가
나에게 전달되기를 바라본다

그대가 나에게 전달된다면
그대를 한가득 담아
보고 싶었던 마음을 채워볼래

웃는 모습이 예뻐

누구보다 소중한 네가
너무나 이기적인 사람에게
눈물을 보였다

눈물이 걷히고 햇빛이 들어와
깊은 따뜻함이 너를 감싼다면

그때는
누구보다 예쁘게 웃기를 바라

인사는 안할게

나를 지키기 위해
해를 입힌 사람에게
등을 돌렸다

생각보다 많아서
마음처럼 쉽지 않아서
시간이 어서 흐르기를
간절히 바라본다

가만히 서 있는 너에게
인사는 하지 않을게
그저 등 돌리고 멀어져갈게

아무렇지 않다면

아무렇지 않다면
나 그대에게서
멀어질 준비 중

어쩌면 그대의 마음은
이미 멀어졌는데
이제야 깨달은 것은 아닐까

아니면 그대의 마음은
여전히 그대로인데
멀어지고 싶은 것은 아닐까

이제라도 깨달아 다행이다
그대를 그대로
흘려보낼 수 있어서

인연

우리가 만났던 그 날
손 꼭 잡고 말했잖아
우리 인연은 지금부터라고

우리가 다시 만나는 그 날
손 꼭 잡고 말해줄게
우리 인연은 여기까지라고

아팠던 기억이
행복했던 기억을
이길 수가 없어서
여기가 우리의 종점이라고

몰라서 궁금해

가만히 바라본 곳
그 너머에는 무엇이 있을까
그곳이 궁금하다면
주저 말고 걸어가도록 해
어디라도 가봐야 알잖아
그곳이 설령 진흙탕일지라도

거짓말을 하면 괜찮아질까

안 지친다고 하면
그건 거짓말이지

안 아프다고 하면
그것도 거짓말이지

거짓말을 하면
괜찮아지지 않고
더 지치고 더 아프다

지친다는 말을 하고
아프다는 말을 하고
그렇게 가감 없이 드러내줘

앞으로 더는 나를
잃어버리지 말자 우리

바람이 불어온다면

모질고 거센 바람에
가끔은 휘청거리고
무서움이 느껴져도
나를 믿고 나아가본다

속절없이 불어오는 바람에
차마 견디기가 힘들다면
잠시 멈추고 불어오는 바람에
나를 맡기고 서 있어 본다

지금 바람이 불어온다면
바람이 잠시 멈추는 순간도
머지않아 내게 찾아온다

쉬는 날

쉬지 않고 달려서
너의 곁에 도착했다

멈춰버렸으면 좋겠는데
시간은 속절없이 흘러가
멈추게 할 수가 없어서
그 흐름에 나를 맡긴다

너의 곁을 떠나서
다시 너의 곁으로 향한다

오늘에게

더도 말고 덜도 말고
오늘 하루도 무사히
살아냈으면 좋겠다

그냥 지극히도 평범하게
너무 슬프지도 기쁘지도 않게
오늘 하루도 무사히
살아냈으면 좋겠다

오늘아 그렇게
특별한 일 없이
나를 지나쳐줘

눈물이 흐른다면

눈물이 흘러내리면
닦아내는 것을 멈추고
가만히 흘러가도록 놓아줘

눈물이 흘러내리면
더 흘러내릴 수 있게
눈물을 다독여줘

흐르면 언젠가 마를 테니
마음 놓고 흘려보내도 돼
더는 흐르지 않는다면
그때 멈추어도 돼

저런 사람 말고 이런 사람

너에게 고민을 안기는 사람
말고 너에게 꽃을 안기는 사람
너를 울음 짓게 하는 사람
말고 너를 웃음 짓게 하는 사람

더는 울지 않고
그런 사람을 만나서
예쁘게 웃는 것

내가 너에게 바라는 하나

언제 어디서나

언제나 빛나는 너라서
언제나 잘해낼 거야

어디서나 빛나는 너라서
어디서나 사랑받을 거야

너의 빛을
의심하지 말고
언제 어디서나
마음껏 뿜어내기를

나눌 수 있을까

힘들 때 곁에 있어주는
너를 보면서 너의 도움에
감사함을 느낀다

기쁠 때 곁에 있어주는
너를 보면서 너의 진심에
감사함을 느낀다

슬픔을 나누기는 쉬워도
기쁨을 나누기는 어려운데
너와 나눌 수 있음에
나는 오늘도 감사함을 느낀다

빈틈없이

너의 시간을
채울 수 있어서
행복해

너의 시간을
허락해줘서
고마워

너의 시간이
나로 인해
늘 행복으로
가득 찼으면 좋겠어

이서연

우울 한 스푼 나눠보실래요?

우리는 오늘도
여러 감정을 삼키며 살아갑니다

행복 한 스푼
설렘 한 스푼
분노 한 스푼
사랑 한 스푼

지금 이 시간은
우리가 제일 기피하는 감정,
우울 한 스푼 나눠보지 않으실래요?

악몽

어느 날, 운 좋게 우울증에 걸렸다

집에 와서
오랜만에 폭식을 했다
알록달록한 약들로

그리곤 때가 묻은
베개를 빨았다
맑은 눈물로

너무 아쉽게도
눈을 떠보니
현실이었다

심해

아무도 보지 못한
아무도 듣지 못한
한 생명이 존재하는 곳

빛을 달라고
산소를 달라고

아무리 외쳐도
전달되는 건 파동의 물결 뿐

얕은 바다의 파도를 보면
널리 알려다오

저 깊은 곳에
외로운 생명이 흐느낀다고

잡초

너는 무엇 때문에 살아있느냐

이름 모를 누군가에게
짓밟히면 그만인데

장난 짙은 아이들에게
뿌리째 뽑히면 그만인데

어여쁘고 영롱한 꽃에게
영양분 뺏기면 그만인데

무엇이 너를 살게 했느냐

네 생기있는 진한 초록색으로
내 삶을 물들고 싶구나

그림자

세상이 활발하게 돌아가는 낮
그림자가 길어지는 시간
더욱더 치밀해집니다

난 괜찮습니다
난 건강합니다
난 행복합니다

세상이 조용하게 잠자는 밤
그림자가 나를 잡아먹는 시간
아무 힘도 없어집니다

사실 괜찮지 않습니다
사실 아픕니다
사실 우울합니다

무정한 무채색의 그림자

평생 짊어져야 할 나의 리스크입니다

무감(無感)

창을 두드리며
하염없이 울부짖는 하늘아

무엇이 그리 슬프더냐

가뭄처럼 갈라져
물 하나 샘솟지 않는
내 눈동자를 보아라

납덩어리에 관통당해
혈(血)이 온몸을 장악할 때
근육 하나 일그러지지 않는
내 얼굴을 보아라

이것이 무기(無機)의 심장이다

낙엽

죽어가는 것들 속에서
몸부림치는
마지막 아우성

바스락

나 여기 있다고
신호를 보내는
소심한 반항

바스락

밟혀져야만
소리칠 수 있는
애처로운 인생

약

새끼손톱만큼 작은
하얀색 알약 하나

그 하나로 하루가 바뀌는 게
그저 우스울 뿐

신이 내게
삶과 약 중 하나를 택하라고 하신다면
주저 없이 약을 택한다

내게 약 없는 삶은
심장 없는 인간이며
산소 없는 지구이며
빛 없는 세상이기에

오늘도 난
하얀색 동그라미 형체 앞에
머리를 조아린다

안개

짙은 회색의 수증기가
내 앞을 가리울 때
비로소 안심합니다

무거운 공기 덩어리가
내 몸을 감출 때
비로소 안심합니다

내 앞은
이빨을 드러내는 맹수의 소굴이기에

내 몸은
흠집 많은 가냘픈 백골이기에

침묵

아픈 사람에게
아프지 말라고 말하는 것
상처에 불을 대는 것

우울한 사람에게
기쁜 일을 해보라고 말하는 것
마지막 잎새를 떨어뜨리는 것

위로라는 겉모습으로 치장한 채
독을 퍼뜨리는 그들은
도대체 왜

침묵이 그 어떤 노래보다
더 음악적인 걸 모르는가
침묵이 그 어떤 위로보다
생명을 살려내는 걸 모르는가

추락

가장 높은 곳에서
나를 놓아줄 때가 됐다

가장 낮은 곳에서
내가 파멸될 때가 됐다

가장 험난한 곳에서
내가 떠나갈 때가 됐다

곰팡이

훨훨 날아가 너 자신을
여기저기 알리고 다니는구나

마음 한 군데면 충분할 줄 알았는데
너는 아닌가 보는구나

이제는 팔다리와 머리까지
온통 너로 물들었구나

점점 나는 사라지고
너의 것이 되어가는구나

자해

내 손목엔 협곡이 있습니다
깊은 틈이 어두워
보이지도 않는
협곡이 있습니다

내 가슴엔 생선가시가 있습니다
앙상한 뼈만 남아
조촐하고도 왜소한
생선가시가 있습니다

내 다리엔 바둑판이 있습니다
삐뚤삐뚤한 간격으로
엉성하게 나누어진
바둑판이 있습니다

내 마음엔 상처가 있습니다
지워지지 않는 상처가 있습니다

그래서 내 몸엔 흉터가 있습니다
그 상처를 지우기 위해
상처를 내었습니다

그리움

그는 밝은 웃음이 매력이었어요
그는 늘 긍정적이었어요
그는 사랑스러웠어요
그는 아프지 않았어요

그런데 이제는 그가 보이지 않아요
손을 뻗어도 잡히지 않아요
돌아오길 간절히 기도해도
다시 오지 않아요

그는 사라졌어요

나는 사라졌어요
예전의 나는 사라졌어요
이제 내 모습에 과거는 없어요

잠

어머니
앞이 보이지 않습니다

한 줄기의 빛도 내게
비춰주질 않습니다

인간의 형상으로
나를 불구덩이에 데려가려 하는
악마가 득실거립니다

어머니
그대의 완연(完然)하고도 고결한
태(胎)가 그립습니다

그곳에 다시 들어가
영원한 잠을 청하고 싶습니다

아아, 나의 도피처
거기는 아무도 발을 들일 수 없는 곳입니다

시선

선생님
의자가 나에게
왜 그걸 못 버티냐고 화를 내요
자기는 힘들어도 잘 서 있는대요

선생님
가방이 나에게
왜 그 정도 짐으로 힘들어하냐고 비웃어요
자기는 무거워도 거뜬없대요

선생님
침대가 나에게
왜 그 감정 하나쯤 품지 못하냐고 핀잔줘요
자기는 모든 걸 품어준대요

선생님
세상이 나에게
의지가 약해서, 마음이 여려서
우울증이나 걸린 거라고 손가락질해요

정말 내 잘못인가요

늪

또다시 찾아오는구나
나의 친구여

왜 그리 나의 다리를
끈질기게 붙잡는 건지

애써 너를 떼어놓으려
버둥거리지만
지쳐 너와 함께 잠이 든다

곤히 자는 나를
깨우지도 않는 친절한 친구여

옛정을 생각해
너와 잠시 머무른다

애증 하는 친구,
우울이여

관

나는 오늘도 내 것을 짊어갑니다

죽음과 고독과 우울과 고통을
가득 채워놓고서

나는 오늘도 내 것을 짊어갑니다

낡은 나무 상자와 함께
썩혀져 갈 하얀 조각을
가득 채워놓고서

나는 오늘도 내 관을 짊어갑니다

알람

따르릉

이제는 좀 쉬어도 돼
이제는 좀 아파도 돼
이제는 좀 놔줘도 돼

요란스레 울리는
네 마음의 소릴 들어 줘

시끄럽다고 바로 끄지 말고
살려달라며 외치는
네 깊은 진동을 느껴줘

마지막 알람이 될지 모르는
네 상처를 이젠 들여다봐 줘

게임

마음에 들지 않으면
마음대로 죽고

마음대로 죽으면
새것인 양 살아나고

우리 인생도 이와 같으면
얼마나 좋을까

죽지 못해 살고
살지 못해 죽고

아아,
게임보다도 못한 인생이여

상사화—이루어질 수 없는 사랑

그대에게 꽃을 바치는 것이
이렇게 힘든 일이었습니까

그대에게 무릎 꿇는 것이
이렇게 못할 일이었습니까

그대에게 말 한마디 건네는 것이
이렇게 망설일 일이었습니까

내 자신을 안아주는 것이
내 자신을 손 잡아주는 것이
내 자신을 응원해주는 것이
이렇게 힘든 일이었습니까

신께 보내는 한탄 1

눈을 떠 보니 아직도 바깥은
흑백 필름의 프레임으로 구성되었다

도무지 흐르지 않는 시간과 싸움을 하듯
오늘도 나의 눈을 뜨게 한 신과
새벽부터 실랑이를 벌인다

어쩔 수 없는 생명의 본능에 이끌려
타는 듯한 갈증을 물 한잔으로
해소하는 내 자신

그 모습을 보니
살고 싶지 않다고 말하던 내가
한심해 보이기 시작한다

"신이시여,
나를 왜 이리 갈등하게 만드는 건가요?
내가 그렇게 죽는 것이 못마땅하신가요?
길가의 꽃 한 송이는 사람들에게 짓밟혀도
매몰차게 무시하시지 않으셨나요?"

이때 신께서 말씀하셨다

"네 안에 숨겨진 생명의 욕구를 찾아보거라
내가 곳곳에 숨겨놓았으니
그리고 잘 가꾸어보거라
길가의 밟힌 꽃 한 송이가 되지 않도록

혹여나 밟히더라도 크게 상심하지 말거라
밟힌 대로 다른 꽃들의 거름이 되어주는
선한 뜻을 내가 품고 있으니"

신께 보내는 한탄 2

어두운 거리를 밝히는 불빛의 버스 안
성에가 낀 불투명한 창문에
노크를 하듯 머릴 기울이는 사람들

끝없이 이어진 동굴을 지나는 지하철 안
콩나물 대가리를 귀에 끼고
각자만의 세상에 잠든 사람들

하루도 살아가는 게 아니라
이를 악물며 버텨가는 사람들

이곳에 태어났다는 죄목으로
세상이라는 감옥 속에서 살아가는
죄수들

"신이시여,
우리가 왜 이렇게 살아가야 하나요?
도대체 무엇을 위해 누구를 위해
나보다도 큰 짐을 지우게 하시나요?
이럴 거면 세상은 왜 만드셨나요?"

이때 신께서 말씀하셨다

"세상을 이렇게 만든 건 내가 아니라
바로 너희들이다

곰곰이 돌아보거라
너에게 큰 짐을 지우게 하는 이는
널 괴롭히는 이도 널 시기하는 이도
그리고 나도 아니다

그렇게 쉬고 싶어 하던 네 마음을
무시한 건 네 자신이 아니더냐
정말 작디작은 휴식도 거절하며
세상 탓을 하는 건 네가 아니더냐

세상을 돌아보지 말고
너를 돌아보거라"

신께 보내는 한탄 3

신이시여,
너무 두렵습니다

지금 마시고 있는 이 산소가
내 허파에 들어와
온 혈관을 파멸시킵니다

지금 듣고 있는 이 소리가
내 고막에 들어와
온 감각을 마비시킵니다

신이시여,
말씀해보십시오

그렇게 거룩한 성경에도
고통은 참을 만큼만 주신다고
쓰여 있지 않습니까?

고난도 때가 지나면
내게 피가 되고

내게 살이 된다고 하시지 않으셨습니까?

날 너무나 사랑하셔서
십자가에 매달려
죽기까지 하신 것 아니셨습니까?

근데 어떻게
죽음의 절벽 앞에까지
날 내몰아칠 수 있으십니까?

사방이 암흑으로 가득 차
내 눈과 코와 입을 가리는데
어디서 빛을 찾으란 말입니까?

신이시여,
대답해주십시오

인간에게 보내는 서신

나의 사랑하는 자야,
네가 보낸 한탄을 잘 들었단다

네가 얼마나 숨쉬기 힘든지
네가 얼마나 살기가 힘든지
내가 잘 안다

하지만 그 고통을
내가 너에게 주는 것이 아니다

단지 너의 삶에 있어서
고통을 허락하는 것이다

네가 아파할 때
나는 어디 있냐고 물었었지

네 옆에서 똑같이
아니 그 이상으로
울고 속상해한단다

어리석은 자야,

고개를 들어 눈을 뜨거라

네 앞을 가로막은
벽 사이의 틈구멍을 보거라

죽음의 순간에서도
결국 살아낸 네 모습이 보이지 않느냐

그것이 숨겨진 빛이다

고난 중에 살아낸 생명의 빛

이제 빛이 되었으니
다른 어둠으로 가서 환히 밝혀주거라

그것이
사랑하는 널 위해 계획한
나의 완전한 역사란다

끝사랑-아네모네

나의 사랑,
아프로디테여

오로라가 펼쳐지는
그대의 광활한 눈동자 속에

뜨거운 바다가 흘러넘치게 한
날 용서하지 마시오

사랑은
내가 그대 몫까지 가져갈 테니
더 이상 그 여린 종잇장에
칼집을 내지 마시오

햇살이 눈을 간지럽히는 봄이 되어
나의 핏빛이 물든 꽃,
아네모네가 핀 걸 본다면
한두 송이 꺾어
그대의 새 사랑에게 전해주시오

그대가 다시 시작하는

아름답고도 귀한 사랑을
보살펴주는 천사가 되어
영영 난 시들지 않겠소

나의 사랑,
아프로디테여

이루어질 수 없는 사랑에
시간을 낭비하며
날 사랑해주어서 고맙소

부디 날 잊어주시오
기억과 마지막사랑은 내가 하겠소

병실에서

새하얀 불빛이 눈꺼풀을 뚫고 들어와
자신이 살아있음을 알리는 듯했다

희미한 시야 사이로 거울 속
한 사나이 모습에 초점이 잡히기 시작했다

그 사나이의 표정은 꽤나 억울해 보였다
마치 자신이 왜 여기에 있는지 모르겠다는 듯이

사나이에게 질문을 했다
당신은 왜 여기에 있나요?

그러자 그 사나이가 한 글자도 빠지지 않고
그대로 내게 되물었다
당신은 왜 여기에 있나요?

난 억울한 표정을 하며 이렇게 대답했다
죽음을 향해 걸어갔습니다
하지만 가는 길에 쓰러져 도달하지 못했습니다

다시 거울을 보니
사나이의 눈에 물이 가득 고여있었다

그리고 얼마 지나지 않아
내 다리 위로 그 눈물이 쏟아지기 시작했다

고통스러운 세상을 떠나지 못했기에
한스러운 눈물인지
다시 숨을 쉬고 있다는 안도감에
본능적인 눈물인지
나도 사나이도 도무지 알 수 없었다

그 중에 제일은 사랑이라

여러분께 꼭 전해주고 싶은 말이 있어서
이렇게 종잇조가리에 남깁니다

여러분,
진리, 배려, 겸손, 온유
봉사, 인내, 사랑 중에
중요하지 않은 것이 있습니까?

없습니다
하지만 그 중에 제일은 무엇이라고 생각합니까?

바로 사랑입니다

사랑이 없으면
진리를 깨달을 수 없고
사랑이 없으면
배려할 수 없습니다

사랑은 결코 없어지지 않고
오래 참으며 모든 것을 견딥니다

여러분,
사랑하십시오

하지만 알아두어야 할 것이 있습니다

누군가를 사랑하기 앞서서
자신을 먼저 살피십시오
자신을 먼저 사랑하십시오

나를 아껴줄 수 있는 사람이
상대방을 배려할 수 있으며

나를 칭찬해줄 수 있는 사람이
상대방을 높이 띄어줄 수 있으며

나를 사랑할 줄 아는 사람이
상대방도 진정으로 사랑할 수 있습니다

불사화

내 마음속엔
꽃 한 송이가 있습니다

매일매일 물을 주고
이쁜 말을 들려주었습니다

기분이 좋을 때면
싱그러운 향기를 내며
코를 간지럽혔습니다

그런데 어느 날부터
물 주는 것도
거름을 주는 것도
모든 게 소홀해졌습니다

점점 시들어가는 꽃을 보며
차마 버릴 수 없기에
방부처리를 하였습니다

그 덕에 내 마음속엔
꽃 한 송이가 있습니다

죽지 않는 꽃 한 송이가 있습니다

나의 꽃 한 송이는
더 이상 향기가 나지 않습니다
더 이상 살랑거리지 않습니다

내 마음 속 꽃 한 송이는
고귀한 모습으로
아무 감정없이 존재합니다

유언

내가 죽으면
가장 높은 푸르른 정상에서
나의 마지막 흔적을 뿌려주시오

온 하늘을 누비며
가지 못했던 곳을 여행하는
자유로움을 느끼고 싶소

내가 죽으면
장례식은 제일 간소하게
가까운 가족끼리 해 주시오

가장 소중한 이들의 얼굴만
눈동자에 담고 가고 싶소

내가 죽으면
나의 삶을 마음껏 이야기하며
안줏거리로 삼아주시오

이야기로라도
살아있는 이들의 삶에 끼어보고 싶소

내가 죽으면
아주 가끔씩은 나를 기억해주시오

그만큼 그대들에게
조금이나마 영향력 있는 사람이었길
간절히 바라오

미래에 보내는 서신

선생님,
여기는 2021년입니다

지금 온 세상이
코로나19 바이러스의 공격으로
남녀노소, 아이와 노인 불문하고
한두 명씩 사라져 갑니다

더 이상 마스크를 쓰지 않고는
숨 쉴 수 없는 세상이 되어갑니다

선생님,
거기는 어떻습니까?

바이러스는 조금 잠잠해졌나요?

아니, 그보다
아직 사람의 마음속에 담긴
따뜻한 온기가 남아있나요?

너무나 치열하고 바쁜 세상 속에서도

뜨겁게 뛰고 있는
심장이 살아있나요?

선생님,
지금 바이러스와 경제난으로
위태위태한 작은 불씨가
꺼져가지 않기를 소망합니다

이 불씨가
거기에서는 활활 타오르길
간절히 소망합니다